Élisabeth
princesse à Versailles

22, rue Huyghens, 75014 Paris
www.albin-michel.fr

Loi n° 49-956 du 16 juillet 1949
sur les publications destinées à la jeunesse.

Annie Jay

Illustré par Ariane Delrieu

Élisabeth princesse à Versailles

3. La Dame à la rose

Albin Michel Jeunesse

Élisabeth

Petite sœur du roi Louis XVI.

Louis XV

Grand-père d'Élisabeth,
roi de France de 1715 à 1774.

Louis XVI

Frère aîné d'Élisabeth,
roi de France de 1774 à 1793.

Marie-Antoinette

Épouse de Louis XVI,
plus jeune fille de l'impératrice
d'Autriche Marie-Thérèse.

Charles-Philippe

Frère d'Élisabeth.
Marié à Marie-Thérèse.

Louis-Stanislas

Frère d'Élisabeth.
Marié à Marie-Joséphine.

Madame de Noailles

Dame d'honneur de la reine Marie-Antoinette.

Madame de Marsan

Gouvernante d'Élisabeth.

Madame de Mackau

Sous-gouvernante d'Élisabeth.

Angélique de Mackau

Fille de Mme de Mackau, et meilleure amie d'Élisabeth.

Clotilde

Sœur d'Élisabeth.

Colin

Petit valet d'Élisabeth.

Théo

Page, ami d'Élisabeth.

Maurice

Page, ennemi de Théo.

Dans les tomes précédents

Un peu sauvage et rebelle, Élisabeth se sent seule au château. Heureusement, elle devient vite inséparable d'Angélique, la fille de sa gouvernante. Ensemble, aidées du jeune page Théo et du petit valet Colin, Élisabeth et Angélique vont découvrir des messages secrets dissimulés dans des automates... et se lancer sur les traces de *La Dame à la rose*, un précieux tableau qui appartenait jadis à la famille de Théo ! Mais les quatre amis vont vite découvrir qu'il leur manque le troisième et dernier automate pour résoudre l'énigme... Le trouveront-ils ?

Chapitre 1

Château de Choisy, juin 1774.

Mme de Marsan, la gouvernante des Enfants de France, observa d'un œil critique le dessin d'Élisabeth.

La petite sœur du roi retint son souffle.

Elle avait reproduit au crayon son automate, un violoniste plus vrai que nature, qui cachait un secret bien mystérieux... Elle avait si bien rendu l'expression de son visage ! Jamais encore Élisabeth n'avait réalisé un modèle aussi compliqué.

Mais... Mme de Marsan était si difficile ! Avec elle, rien n'était jamais assez bien, assez beau, assez... royal !

La jeune princesse lança un coup d'œil inquiet à son amie Angélique, puis elle attendit le verdict en se mordant les lèvres.

– Mais, c'est charmant ! lâcha-t-elle tout d'abord. Madame[1], je ne vous savais pas si douée... Enfin, se reprit-elle aussitôt en faisant la moue, le trait reste très enfantin et le pupitre n'est pas droit. La main... pff ! est fort laide. Quant au violon, il manque de relief.

Après avoir poussé un soupir à fendre l'âme, elle termina en fixant Élisabeth :

– Vous devriez vous appliquer davantage, Madame. Ce dessin est indigne d'une princesse royale ! On attend de vous des œuvres sans défaut que l'on puisse montrer dans

---

1. Autrefois, en France, on appelait « Madame » les filles de roi et de Dauphin, quel que soit leur âge, et depuis leur naissance.

toutes les capitales d'Europe, où l'on vous cherchera bientôt un époux.

Et après ce commentaire désagréable, elle sortit en tenant à deux mains son élégante jupe de soie ornée de rubans.

Colin, le nouveau valet d'Élisabeth, s'empressa d'ouvrir la porte afin qu'elle puisse passer.

– Ce n'est pas trop tôt, lui lança-t-elle en franchissant le seuil. J'ai failli attendre ! La prochaine fois, il faudra vous dépêcher, mon garçon !

Élisabeth piqua du nez, les larmes au bord des yeux. Elle avait pourtant beaucoup travaillé ! Elle s'était tellement appliquée !

Angélique de Mackau et sa mère vinrent la consoler :

– Quel chameau ! jeta Angélique. Ton dessin est très bien !

La gentille et douce sous-gouvernante approuva aussitôt :

– Votre violoniste est parfait. Je n'aurais pas mieux fait, et Mme de Marsan encore moins. Si vous me le permettez, je serais très flattée que vous me l'offriez...

Cela réconforta un peu la princesse. Elle sourit et proposa :

– Attendez que je le termine, il sera bien plus beau avec de la couleur.

Depuis que Mme de Mackau était auprès d'elle, Élisabeth avait tant changé ! D'abord elle n'était plus seule, elle avait une amie. Avant Angélique, elle n'avait jamais eu d'amie. Et Angélique et elle s'entendaient comme deux sœurs.

Ensuite, la sous-gouvernante s'occupait d'elle comme le ferait une mère, avec tendresse.

Élisabeth était orpheline depuis sa petite enfance. Elle possédait une nature colérique, détestait obéir et n'était pas bonne élève. Au lieu de la punir, comme le faisait si souvent Mme de Marsan, Mme de Mackau discutait avec elle et l'encourageait à étudier.

Car c'était elle aussi qui était chargée de son éducation, avec des méthodes plutôt originales et qui plaisaient beaucoup à Élisabeth :

– Et si, proposa Mme de Mackau, nous allions dessiner des fleurs dans les bois ? Vous vous promèneriez à pied ou à cheval, et nous goûterions dans une clairière…

– Oh oui ! J'adorerais !

– Et nous pourrions herboriser, reprit la sous-gouvernante.

– Herbo… quoi ? s'étonna Élisabeth.

Angélique se mit à rire !

– Herboriser ! Maman a raison ! Ramassons des plantes que nous ferons sécher entre deux buvards pour les conserver. Ensuite, nous les collerons dans un cahier, avec leur nom indiqué dessous !

Élisabeth n'en voyait pas trop l'intérêt mais, comme elle aimait se promener et que cela faisait plaisir à Angélique, elle accepta aussitôt.

– Hé ! s'écria Colin, je connais un coin où on en trouve beaucoup, des fleurs ! Il y a même une mare avec des grenouilles !

Mme de Mackau lui fit les gros yeux :

– S'adresser à sa guise à Madame est interdit. C'est une princesse. Tu dois rester près de la porte, muet, et tu dois obéir.

La sous-gouvernante partit demander un goûter aux domestiques. Élisabeth en profita pour s'approcher du garçon :

– Colin, tu ne dois me parler que lorsque nous sommes seuls... J'aurais trop de peine si on te renvoyait !

Le petit paysan avait bien du mal à comprendre le règlement compliqué que l'on respectait au château, ce que l'on appelait l'« étiquette ». Mais il jura aussitôt :

– Je recommencerai plus !

– Je NE recommencerai plus, le reprit Élisabeth. Maintenant, tu es à la Cour, plus dans ta campagne. Tu dois t'exprimer correctement en français.

Depuis trois semaines, la princesse lui apprenait à lire et à écrire[2]. Colin était intelligent. Avec un peu d'instruction, il ne manquerait pas de trouver plus tard un bon travail qui lui permettrait de nourrir sa mère veuve et ses frères et sœur.

– Je peux venir me promener avec vous ? demanda-t-il avec des étoiles plein les yeux. Faire le valet, debout à attendre, ce n'est pas drôle...

Élisabeth acquiesça.

– Bien sûr ! Tu porteras notre goûter et notre matériel de dessin !

---

2. Voir le tome 2, *Le Cadeau de la reine*.

Ils allaient partir au bois, Colin en tête, chargé d'une grande sacoche de cuir et d'un panier d'osier, lorsque Mme de Marsan se présenta de nouveau :

– Eh bien, jeune impertinent ! le disputa-t-elle. Voulez-vous bien me céder le passage !

Colin se poussa et la gouvernante lança :

– Vous ne pouvez sortir.

– Et pourquoi donc ? s'étonna Mme de Mackau. Il fait si beau !

– Parce que Sa Majesté le roi désire parler à Mesdames Élisabeth et Clotilde, ses sœurs.

Chapitre 2

– Que nous veut Louis-Auguste ? s'inquiéta la princesse.

– Sa Majesté Louis XVI vous en informera elle-même, répliqua la gouvernante sévèrement.

Élisabeth soupira. Adieu promenade, dessin, goûter au bois, mare aux grenouilles... « Pourvu que Mme de Marsan ne se soit pas plainte de mes dernières insolences ! » pensa-t-elle.

Elle se montrait parfois si exigeante qu'Élisabeth ne parvenait pas à tenir sa langue.

Hier, la gouvernante était venue assister à ses leçons, pour juger de ses progrès. Après trois longues heures de français et de calcul, sans récréation, elle lui avait ordonné de réciter la liste des rois d'Angleterre depuis le Moyen Âge !

Il était presque midi, Élisabeth mourait de faim ! Excédée, elle lui avait jeté à la figure qu'elle était pire qu'un bourreau[3] ! « Et encore, pensa-t-elle, c'était insulter les bourreaux que de les comparer à Mme de Marsan. »

Mme de Mackau l'avait obligée à s'excuser, ce qu'elle avait fait du bout des lèvres, mais Mme de Marsan lui avait tout de même infligé une punition stupide de 100 lignes : *« Je ne dirai pas de mal de ma gouvernante qui m'aime tant. »*

– Venez, ordonna cette dernière, je vous accompagne.

Comme elles traversaient le château, Élisabeth sentit son cœur battre la chamade.

---

3. Personne qui était chargée d'infliger les peines corporelles prononcées par la Justice, notamment la peine de mort. Se dit aussi d'une personne cruelle qui maltraite d'autres personnes.

Chapitre 2

Convoquée chez son frère, le roi ! C'était bien la première fois ! Que se passait-il ?

Elles atteignirent bientôt la porte de son bureau, gardée par deux soldats qui les firent entrer.

– Louis-Auguste ? dit-elle timidement tandis que la gouvernante plongeait dans une révérence.

Il avait l'air si inquiet ! Mais, depuis qu'il était devenu roi, son frère aîné exerçait de lourdes responsabilités. Régner sur un grand pays comme la France, à 19 ans seulement, n'était pas chose facile.

– Babet ! dit-il avec un bon sourire en se levant de son fauteuil. Venez que je vous embrasse[4].

Clotilde était déjà là, assise en face de lui, son gros corps vêtu d'une robe verte rayée de blanc. La pauvre souffrait d'embonpoint et cette tenue ne lui allait guère. Elle aussi avait l'air inquiet.

– Mes sœurs, attaqua Louis-Auguste, notre grand-père, le roi Louis XV, est décédé voici trois semaines de cette affreuse maladie que l'on nomme la « petite vérole[5] ». Toute notre famille a dû quitter Versailles et se réfugier à Choisy afin d'échapper à la contagion. Toutefois, elle nous a rattrapés…

– Quoi ? murmura Clotilde d'un ton angoissé.

– Notre tante Adélaïde en est atteinte à son tour…

Les deux princesses poussèrent un même cri d'effroi ! La petite vérole tuait un malade

4. On se vouvoyait au sein de la famille royale, de même que dans toutes les familles nobles de la Cour. Élisabeth et Angélique se tutoient bien qu'elles n'en aient pas le droit.

5. Maladie très contagieuse aussi appelée « variole ».

sur cinq et la tante Adélaïde n'était plus toute jeune.

– Il nous faut fuir de nouveau pour nous mettre à l'abri, expliqua le roi.

– Ne peut-on rien faire contre cette maladie ?

– On peut essayer de s'en protéger. Avez-vous entendu parler de l'inoculation ?

Élisabeth fit non de la tête. Clotilde, elle, fronça les sourcils :

– N'est-ce pas une méthode qui consiste à piquer quelqu'un en bonne santé avec le pus d'un malade ? S'il n'en meurt pas, il ne pourra plus l'attraper.

– C'est presque cela. On prélève du pus sur une personne qui présente une forme affaiblie de la maladie. Le virus étant moins violent, la personne surmonte plus facilement la petite vérole, et se trouve protégée ensuite de façon définitive.

Il s'arrêta un instant et reprit :

– J'ai décidé de subir l'inoculation. Nos frères Louis-Stanislas et Charles-Philippe tenteront l'expérience avec moi.

Mme de Marsan, muette jusque-là, sursauta. Et, malgré l'étiquette, elle osa s'adresser au roi, comme lorsqu'il était enfant et qu'elle s'occupait de son éducation.

– Êtes-vous devenu fou ? lui lança-t-elle sèchement. De nombreuses personnes sont mortes de ce traitement ! Vous risquez votre vie ! Et vos frères également ! Que deviendra notre pays, si vous mourez tous les trois ?

Louis XVI la regarda. Il ne l'appréciait guère. Elle l'avait élevé de façon sévère, sans affection. Toute son enfance, elle lui avait préféré ses frères, plus beaux et plus intelligents, et lui avait reproché d'être timide et lent... Il finit par répondre :

– J'en ai conscience, madame, mais je ne reculerai pas. Chaque année, de nombreux

Français décèdent de la petite vérole. Si la famille royale montre l'exemple, peut-être accepteront-ils de se faire inoculer. Nous sauverions ainsi des milliers de vies !

– Eh bien, intervint courageusement Clotilde, si l'on doit montrer l'exemple, je le ferai avec vous !

Élisabeth réfléchit à peine avant de se lever d'un bond :

– Moi aussi, Louis-Auguste !

– Certainement pas, s'écria Mme de Marsan. Je vous l'interdis à toutes les deux ! Votre Majesté, tenta-t-elle en se tournant vers le jeune roi, vous allez risquer la vie de vos frères ! Réfléchissez.

– C'est notre choix. Demain, nous quitterons Choisy pour le château de Marly. Tante Adélaïde restera ici avec ses domestiques.

À peine sortie, Mme de Marsan s'indigna à voix haute sans prendre garde aux princesses :

– Le roi n'a guère de jugeote ! Son épouse l'a encore influencé ! Elle a subi cette monstruosité lorsqu'elle était enfant, en Autriche. Et elle veut que la famille royale fasse de même...

Élisabeth, qui aimait beaucoup son frère et sa belle-sœur, les défendit aussitôt.

– Ils veulent nous protéger ! Vous racontez des sornettes ! Mon frère a raison ! Quant à Marie-Antoinette, elle a été inoculée et elle a survécu !

– Elle, oui. Mais on raconte que beaucoup en meurent, et que ceux qui s'en relèvent ont de grosses pustules sur le visage, dont ils gardent d'affreuses cicatrices...

– Marie-Antoinette n'en a pas...

Mme de Marsan, fâchée d'être contredite, la réprimanda :

– Allez-vous vous taire ! Bien. À présent, il me faut boucler nos bagages. Madame Clotilde, retournez à vos appartements, dépêchons-nous !

Chapitre 3

Marly se trouvait à sept lieues[6], et le voyage dura toute une journée. Arrivés au château, il fallut de nouveau déballer les malles et installer les meubles.

– Pauvre tante Adélaïde, soupira Élisabeth, j'espère qu'elle se remettra.

Une fois les bagages rangés, les jeunes filles reprirent leurs occupations.

Trois jours plus tard, elles se réunirent chez Clotilde pour faire de la musique.

Élisabeth jouait plutôt bien de la harpe, et Clotilde était une très bonne violoniste.

---

6. Ancienne mesure de distance. 1 lieue équivaut à environ 4 kilomètres.

Comme Angélique, de son côté, se débrouillait au clavecin, une sorte de petit piano, elles attaquèrent une chanson à la mode dont Mme de Mackau leur avait trouvé la partition.

– Trois, quatre ! lança Élisabeth pour donner le départ.

La mélodie s'éleva, ravissante. Mme de Mackau, qui brodait en compagnie de Mme de Marsan, dressa l'oreille avec un grand sourire. Puis, n'y tenant plus, elle se leva pour les féliciter.

Élisabeth en fut si contente qu'elle se mit à chanter à tue-tête ! Mais... si elle était bonne musicienne, elle faisait une très mauvaise chanteuse ! Les « couac » et les fausses notes se succédaient, ce qui fit beaucoup rire Angélique et Clotilde !

Hélas, ce moment de gaieté ne dura guère. Mme de Marsan, en vrai trouble-fête, décida d'intervenir :

– Madame ! s'écria-t-elle les mains sur les oreilles. C'est insupportable !

Élisabeth s'arrêta net, vexée.

– Oui, et après ? Est-ce un crime si j'aime chanter et si je ne suis pas douée ?

– Oh ! Insolente ! Jouez plutôt de votre harpe et taisez-vous !

Mme de Mackau allait dire un mot pour rétablir le calme lorsque Marie-Antoinette entra. Tout excitée, elle leur annonça en sautant de joie :

– J'ai une grande nouvelle à vous apprendre. Louis-Auguste vient de m'offrir le petit château de Trianon !

Marie-Antoinette ressemblait à un feu follet en perpétuel mouvement. À 18 ans, la jolie blonde se retrouvait reine de France, tâche difficile et ennuyeuse qu'elle n'appréciait guère.

– Vraiment ? s'exclama Élisabeth en repoussant sa harpe. Un château ? Rien qu'à vous ?

Sa belle-sœur s'approcha d'elle pour ébouriffer ses cheveux châtains d'une main affectueuse.

Mme de Marsan en lâcha un « oh ! » scandalisé ! Elle n'appréciait pas la souveraine, qu'elle trouvait trop familière et peu respectueuse de l'étiquette. Marie-Antoinette était un bien mauvais exemple pour ses deux élèves princières ! Mais elle était reine, et Mme de Marsan ne voulait pas s'en faire une ennemie. Aussi s'empressa-t-elle de la complimenter en souriant mielleusement :

– Quelle chance ! Sa Majesté, votre époux, est si généreux avec vous...

– Oui, il est si gentil !

Puis elle tournoya sur elle-même en riant tandis qu'Élisabeth s'extasiait :

– Vous allez pouvoir y faire ce que vous voulez !

– Exactement ! J'y serai libre !

Marie-Antoinette se laissa tomber sans façon sur une chaise, sa belle robe de deuil[7] de soie violette bouffant autour d'elle. Ses yeux bleus se mirent à briller :

– C'est un endroit magique, construit au fond du parc de Versailles, à deux pas de notre immense palais, si vieux et si inconfortable... Quel rêve !

Puis elle se leva d'un bond et gagna la porte, s'apprêtant à repartir aussi vite qu'elle était arrivée. Là, elle s'arrêta, se retourna et dit en riant de plaisir :

– Je vais transformer Trianon en un petit paradis !

---

7. Autrefois, lorsqu'une personne mourait, sa famille respectait une période de deuil pour montrer sa peine. On s'habillait de vêtements sombres, noirs ou violets, et on évitait de participer à des fêtes. Marie-Antoinette est en deuil, car le roi Louis XV vient de mourir.

– Pourrai-je venir ? demanda Élisabeth.

– Bien sûr, Babet, vous êtes la bienvenue, ainsi que Clotilde et votre amie Angélique ! Tenez, nous pourrions nous y rendre ensemble demain. Que diriez-vous d'un repas sur l'herbe ?

– Oui !!

Mais Marie-Antoinette était déjà sortie !

– Quel bonheur ! soupira Clotilde. J'adore Trianon !

Mme de Marsan fronça les sourcils. La reine aurait dû lui demander son accord. N'était-elle pas la gouvernante des Enfants de France ? Elle soupira, agacée, puis tapa dans ses mains :

– Reprenons, Mesdames ! Les Filles de France doivent être de parfaites musiciennes. Plus tard, lorsque vous serez reines d'un royaume étranger, vous ferez honneur à notre cher pays, grâce à votre instruction et à votre talent...

Élisabeth s'assit devant sa harpe en soufflant, Clotilde cala son violon sous son menton et Angélique se dépêcha de placer ses mains sur les touches du clavecin.

Mais, faire de la musique devant Mme de Marsan, ce n'était vraiment pas drôle ! D'ailleurs elle les interrompit à de nombreuses reprises, sous prétexte qu'elles ne jouaient pas en mesure.

Et puis, tout à coup, Élisabeth songea à quelque chose...

– Ah mais, ah mais ! chuchota-t-elle le nez contre le montant de son instrument. C'est merveilleux...

Elle devait en parler à Angélique et Clotilde, tout de suite ! Les notes de la partition dansèrent un instant devant ses yeux tant elle était heureuse. Il fallait qu'elle se concentre. Flûte ! Elle rata un accord !

Aïe ! Un « bling » disgracieux lui écorcha les oreilles ! Mme de Marsan fit la grimace.

Elle allait encore les obliger à reprendre au début.

– J'en ai assez, s'écria la princesse, mes doigts me font mal à force de pincer les cordes. Ne peut-on se reposer une minute ?

Mme de Mackau mit fin à son supplice.

– Cessons pour aujourd'hui, dit-elle à Mme de Marsan. Ces jeunes filles ont besoin de se dégourdir les jambes !

Chapitre 4

À peine au-dehors, Élisabeth entraîna Clotilde et son amie à l'abri des oreilles de Mme de Marsan.

– Clotilde ! Ne m'avez-vous pas dit qu'il y avait une flûtiste à Trianon ?

– Une flûtiste ? répéta sa sœur. Quelle flûtiste ?

Mais Angélique, qui avait compris, se mit à sauter de joie :

– Il y a quelques jours, vous avez donné à votre sœur un automate, un joli violoniste. Et vous nous avez raconté que vous en aviez vu un tout semblable, une joueuse de flûte, à Trianon.

Clotilde haussa les épaules :

– Oui, c'est vrai, au rez-de-chaussée, dans un salon où on avait installé un billard. Il vous intéresse tant que cela ?

– Énormément ! reconnut Élisabeth. Si je vous dévoile un secret, promettez-vous de vous taire ?

Clotilde était la gentillesse même. Elle avait 14 ans, et on pouvait lui faire confiance. Elle accepta aussitôt :

– Je vous le jure !

Alors Élisabeth, après avoir regardé à gauche et à droite, lui raconta :

– J'ai cassé sans le faire exprès l'automate que Grand-papa Roi m'avait offert. Il représentait une joueuse de clavecin. Dans l'instrument, Angélique et moi avons découvert un message codé...

– Oh, fit Clotilde, impressionnée, voilà qui est bien mystérieux !

Élisabeth acquiesça d'un mouvement de tête :

– Nous l'avons décrypté après avoir découvert que l'alphabet y était décalé de sept lettres... Connaissez-vous Théophile de Villebois ? Il est page à la Grande Écurie. On le surnomme Théo...

– Oui, je le connais. Mais racontez la suite !

– Eh bien, poursuivit Élisabeth, son grand-père, un homme fort riche, possédait voici trente ans la joueuse de clavecin, le violoniste et la flûtiste. Nous pensons que ce monsieur a été assassiné par son propre frère, qui rêvait de lui voler sa fortune...

– Dieu, quelle horreur !

– Peu avant sa mort, il a caché son bien le plus précieux, un tableau intitulé *La Dame à la rose*, tant il craignait que son méchant frère ne le lui dérobe. Puis il a laissé des indices[8]... Malheureusement, il a été tué avant de pouvoir en parler à sa femme, et son frère a détourné tout son argent. La famille de Théo est aujourd'hui bien pauvre.

Angélique continua à voix basse :

– Nous avons décrypté les premiers indices. Mais nous sommes bloquées, car le prochain est dissimulé dans la flûtiste...

– ... qui se trouve à Trianon, termina Clotilde.

– Exactement, renchérit Élisabeth. Et comme Marie-Antoinette vient de nous y inviter, nous pourrons reprendre notre enquête ! Vite, allons apprendre cette excellente nouvelle à Théo ! À cette heure, il doit s'entraîner à l'équitation ou à l'escrime...

Arrivées aux écuries, où on logeait les pages, les jeunes filles eurent la surprise d'y découvrir une drôle d'agitation. Si certains garçons

8. Voir les tomes 1 et 2, *Le Secret de l'automate* et *Le Cadeau de la reine*.

Chapitre 4

tournaient à cheval sur la piste sablonneuse du manège, sous la direction d'un écuyer, une dizaine d'autres s'interpellaient.

– Ils se battent ! Ils se battent ! entendirent-elles.

Puis l'un d'eux, un grand gaillard d'au moins 14 ans, déclara :

– Éloignez M. de Pontfavier, l'écuyer, il ne doit pas aller dans la grange.

Aussitôt, un petit grassouillet de 11 ans partit en trottinant :

– Je m'occupe de le retarder ! Vous me raconterez, hein ?

– Oui. Retenez-le cinq minutes, ordonna le grand gaillard. Qu'ils aient le temps de régler leurs comptes. C'est une question d'honneur !

Le rondouillard acquiesça et fila vers le manège, où le cours d'équitation se terminait.

Personne ne fit attention aux trois filles, qui se regardèrent avec inquiétude. Une remise à foin se trouvait non loin d'elles, vers laquelle des garçons se dirigeaient en courant.

– Allons voir, proposa Élisabeth. Mais soyons discrètes. Restons en retrait afin que l'on ne nous remarque pas.

Elle glissa un œil par la porte grande ouverte. Un bruit de bagarre se faisait entendre...

– Peut-être devrions-nous partir ? souffla Clotilde qui, en tant qu'aînée, se sentait obligée de protéger sa sœur et son amie. Je n'aimerais pas que Mme de Marsan apprenne que nous assistons à ce genre de spectacle.

– Une minute, rétorqua Élisabeth. J'ai des choses importantes à dire à Théo ! Et ce qui se passe ici m'intrigue fort.

Elle distinguait dans la pénombre de la grange un groupe d'une dizaine de jeunes gens. Certains portaient l'uniforme rouge de la reine, les autres, le bleu de la Grande Écurie[9]. Mais voilà qu'elle apercevait deux garçons en chemise, qui se battaient comme des chiffonniers !

– Ciel... C'est Théo ! s'écria Élisabeth.

Les deux combattants roulèrent dans la paille ! Et voilà que l'adversaire de leur ami, un blond, le martelait de coups de poing !

– C'est trop horrible ! glapit Clotilde. Partons, je vous en supplie !

– Non ! refusa Élisabeth.

---

9. Il existait plusieurs sortes de pages, entre autres : les pages de la Chambre du roi, qui servaient le roi au château ; les pages de la Grande Écurie, qui servaient le roi à l'extérieur, ainsi que les princes et les princesses ; et les pages de la reine, qui servaient uniquement la reine.

Théo attrapa le blond par son col de chemise pour le faire rouler à son tour. Il finit par l'immobiliser, ses mains au-dessus de sa tête, et lui ordonna :

– Monsieur, dites que vous regrettez !

Mais l'autre ricana :

– Jamais !

– Ce que vous avez raconté est indigne d'un gentilhomme ! Si vous ne retirez pas vos paroles, je vous provoquerai en duel !

Un bruissement de voix parcourut l'assistance. Se battre en duel était très grave ! Mais aussi... très excitant !

– Croyez-vous me faire peur, vicomte, brailla son adversaire. Vous n'êtes qu'un hobereau[10] sans le sou qui n'a pas sa place parmi nous ! Quand il apprendra comment vous m'avez traité, mon père vous fera renvoyer !

À ses mots, Théo parut fou furieux ! Il lui abattit son poing sur le nez qui se mit à saigner !

10. Gentilhomme campagnard.

– Je me vengerai ! cria le blond en tentant de s'échapper. Et je ne reviendrai pas sur ce que j'ai déclaré. Madame Clotilde est une grosse baleine pleurnicharde et sa sœur Élisabeth, une peste qui finira vieille fille, comme ses tantes !

– Oh ! s'indigna Élisabeth alors que Clotilde, rouge de confusion, se tenait le visage à deux mains.

– Quelle horreur ! chuchota Angélique. N'a-t-il pas honte de dire de telles méchancetés !

Autour d'eux, les pages prenaient parti pour l'un ou pour l'autre, sans même se rendre compte que les deux sœurs du roi se trouvaient derrière eux.

– J'y vais, s'écria Élisabeth en retroussant ses manches d'un air décidé. Je vais lui faire passer l'envie de nous insulter ! Théo a bien raison de lui donner une raclée !

Clotilde la retint à grand-peine, tandis que, dans la remise à foin, on entendait :

– Excusez-vous ! criait Théo.

– Plutôt mourir !

Puis, tout à coup, le petit rondouillard fendit la foule et cria :

– Attention ! M. de Pontfavier vient par ici !

Aussitôt, comme par miracle, le combat cessa. Théo et son adversaire se relevèrent et partirent chacun de leur côté au fond de la grange, l'un avec un œil gonflé, l'autre le nez en sang...

– Vite ! entendirent les filles. Enfilez vos vestes !

Quelques instants plus tard, un homme distingué, vêtu d'un uniforme et coiffé d'une perruque, arrivait. Craignant qu'il ne découvre Théo en tenue négligée, Élisabeth l'interpella :

– Monsieur...

L'écuyer, reconnaissant les deux princesses, ôta aussitôt son chapeau pour les saluer.

– Que puis-je pour vous, Mesdames ?

– Demain, lui déclara Élisabeth, nous sommes invitées par Sa Majesté la reine à Trianon. J'aurais aimé que M. le vicomte Théophile de Villebois nous escorte, comme il a coutume de le faire lorsque je me promène à cheval.

– Naturellement, s'empressa-t-il d'accepter. Tenez, le voici...

Elles eurent la surprise d'apercevoir un Théo bien coiffé et sanglé dans un uniforme impeccable ! Seul son œil, rouge et gonflé, prouvait qu'il s'était passé quelque chose. L'écuyer le vit et s'étonna :

– Que vous est-il arrivé, monsieur le vicomte ?

– Un accident malencontreux, monsieur de Pontfavier. J'ai heurté une poutre...

– Voilà qui est fâcheux, il vous faudra faire attention à l'avenir. Savez-vous où se trouve le marquis Maurice de Fontaine ?

Théo se racla la gorge avec gêne, ses deux mains agrippées à son chapeau :

– Je crois que M. le marquis est parti à l'infirmerie...

– Et pourquoi donc ? demanda M. de Pontfavier d'un ton inquiet.

– Une chute de cheval, je crois...

– À l'infirmerie ? s'écria une voix juvénile. Moi ? Vous faites erreur !

Maurice les rejoignit avec un grand sourire, vêtu de l'uniforme rouge des pages de la reine. Lui non plus ne présentait aucune trace de leur récent combat, hormis un nez violacé.

Il devait avoir 12 ou 13 ans et possédait un remarquable talent de comédien ! Il fit mine de chasser de son épaule une poussière imaginaire et raconta :

– Je crains d'avoir désobéi, monsieur. J'ai chevauché sans permission Pégase, cet étalon si vif. Il m'a jeté à terre... Mais, ajouta-t-il, un rien fanfaron[11], je finirai par le mater. Bientôt, il sera doux comme un agneau…

Et il lança un coup d'œil méchant à Théo.

– Voilà qui n'est guère prudent, le sermonna M. de Pontfavier. Veuillez, à l'avenir, ne pas recommencer. Messieurs, leur annonça-t-il ensuite, Sa Majesté la reine se rend demain à Trianon en compagnie de Mesdames. Vous les accompagnerez tous les deux. Tâchez de vous montrer dignes de vos professeurs en servant ces dames convenablement.

Les deux garçons se mirent au garde-à-vous jusqu'à ce qu'on leur ordonne :

– Rompez !

À peine l'écuyer parti, Théo s'éloigna avec ses amies. Il les salua et demanda avec angoisse en voyant Clotilde, écarlate, s'essuyer les yeux avec son mouchoir :

– Venez-vous d'arriver ?

---

11. Vantard, crâneur.

– Non, avoua Élisabeth. Nous avons tout vu et tout entendu. Souffrez-vous ?

– Oui, Madame, de n'avoir pas fait mordre la poussière à ce vaurien qui vous insultait, reconnut-il d'un air fier.

– Vous lui avez tout de même donné une leçon !

– Maurice de Fontaine est un bon à rien. Chez les pages, la tradition veut que les aînés commandent les plus jeunes, en leur faisant effectuer des corvées, comme s'occuper de leurs chevaux. Or Maurice de Fontaine les maltraite et les humilie. Son père occupe un poste important à la Cour. Du coup, il en profite pour faire ce qu'il veut, ce que beaucoup d'entre nous n'apprécient guère. Mais tous en ont peur, car il est costaud pour son âge...

– Tous sauf vous ! répondit Élisabeth avec un grand sourire. Vous êtes un vrai chevalier !

Théo lui rendit son sourire. Cependant il reprit avec un peu d'inquiétude :

– Il se vengera sûrement... Et, si nous sommes surpris à nous battre, nous serons renvoyés !

– En attendant, lui confia Élisabeth, nous avons une excellente nouvelle à vous apprendre.

Elle se pencha vers lui et lui raconta leurs futurs projets.

Chapitre 5

Le lendemain matin, vers 10 heures, la reine, Élisabeth, sa sœur et Angélique partirent toutes les quatre dans une calèche découverte aux portières peintes de fleurs de lys. Toujours d'humeur aussi joyeuse, Marie-Antoinette annonça :

– J'ai réussi à me débarrasser de mes dames et surtout de Mme de Noailles qui ne cesse de m'importuner avec ses : « Une reine de France doit faire ceci ! » ou encore : « Une reine de France ne doit pas faire cela ! » À croire qu'elle connaît l'étiquette comme si elle l'avait inventée. D'ailleurs, je me suis amusée à la surnommer « Madame l'Étiquette ». Nous voici seules pour la journée !

Enfin presque... Car quatre gardes du corps à cheval les entouraient, suivis par les deux pages, Théo et Maurice, dont l'un exhibait un bel œil gonflé et l'autre, un énorme nez violet.

Sur leur passage, les paysans s'arrêtaient de travailler et se pressaient au bord de la route. Ils se tordaient le cou pour voir la jeune femme assise dans la voiture, et criaient avec entrain en secouant leur chapeau : « Vive la reine ! Vive la reine ! »

– N'est-ce pas merveilleux ? s'étonnait Marie-Antoinette. Avez-vous vu comme ils m'aiment ?

Elle en était très touchée.

– Il faut dire, poursuivit-elle, que, durant le long règne de votre grand-père Louis XV, le peuple a beaucoup souffert des guerres et de la misère... Ces pauvres gens espèrent

de grands changements. Louis-Auguste est jeune, il fera le bonheur des Français !

Ils arrivèrent bientôt en vue de Versailles. Les bâtiments du palais se dessinaient sur le ciel bleu, magnifiques de beauté et d'harmonie.

– Nous y arrêterons-nous pour saluer quelques connaissances ? demanda Clotilde alors que la calèche ralentissait à un croisement.

– Non, répondit Marie-Antoinette. J'ai promis de ne pas le faire. La maladie rôde toujours au palais. On m'a raconté que, depuis notre départ de Versailles, après la mort du roi Louis XV il y a un mois, 50 personnes avaient été atteintes et que 10 étaient mortes...

Élisabeth frissonna. Elle ferma les yeux et repensa à tous les domestiques qu'elle n'avait pas pu emmener avec elle, en fuyant le château. « Pourvu qu'ils soient en bonne santé ! » pria-t-elle.

La voiture s'engagea sur une belle allée bordée d'arbres. Bientôt les magnifiques bosquets des jardins de Versailles firent place à des prairies. Puis, enfin, la reine, Élisabeth, Clotilde et Angélique virent apparaître un délicat petit édifice de pierre claire...

– Le voilà ! s'écria Marie-Antoinette en se mettant debout dans la calèche en marche. Un cahot la fit retomber sur son siège et elle hurla de rire.

– Dieu que je suis impatiente ! En plus, nous serons bien tranquilles. Comme on ne m'attend pas, il n'y aura que quelques domestiques !

Dès que la voiture s'arrêta, Théo et Maurice sautèrent de cheval et se précipitèrent pour ouvrir la portière. Théo arriva le premier, mais Maurice le bouscula :

– Monsieur, je suis page de la reine, déclara-t-il, cet honneur me revient !

Théo dut s'écarter, tandis que Maurice dépliait le marchepied et tendait sa main à la souveraine. Mais, à peine Marie-Antoinette descendue, Théo le bouscula à son tour.

– Arrière, monsieur de Fontaine ! Servir Mesdames est le privilège des pages de la Grande Écurie !

Il ôta son chapeau, et aida les jeunes filles.

Visiblement, la guerre entre eux n'était pas terminée !

Mais Marie-Antoinette se dirigeait d'un pas impatient vers le petit château. Elle grimpa l'escalier qui menait à une terrasse ensoleillée et s'arrêta pour contempler son nouveau domaine. Des jardins à la française, aux allées bien ordonnées et aux massifs de fleurs géométriques, l'entouraient. Au loin, on apercevait des champs de blé et des bois. Elle ferma les yeux pour écouter le chant des oiseaux et respira l'air odorant à pleins poumons...

Élisabeth la rejoignit :

– Cet endroit est merveilleux !

– Oui, Babet, hormis... ces bosquets taillés que je trouve bien laids !

– Laids ? s'étonna Élisabeth. Ils sont parfaits !

– Parfaitement ennuyeux, voulez-vous dire ! Tout cela était bon du temps de votre grand-père. C'est passé de mode ! Moi, je préfère les jardins à l'anglaise, moins ordonnés... Imaginez de grandes pelouses fleuries et de beaux arbres qui se reflètent dans une rivière où nagent des canards... J'ai rendez-vous cet

après-midi avec le meilleur jardinier d'Europe. Je vais lui commander un parc de rêve.

Elle entraîna les trois jeunes filles à l'intérieur et commença à parcourir le château, pièce par pièce, tandis que les deux pages les suivaient à distance, tout prêts à les aider à la moindre demande.

Contrairement à Versailles, où l'on était frappé par la démesure et le luxe, tout ici était à taille humaine. Les salons succédaient aux boudoirs, les chambres aux salles à manger, aux antichambres... Sur leur passage, les domestiques se collaient le dos au mur et faisaient respectueusement la révérence, sans oser les déranger.

– Je me sens déjà chez moi ! clama Marie-Antoinette une fois la visite terminée. Votre Grand-papa Roi possédait un goût exquis.

Elle ouvrit une fenêtre et se pencha au-dehors :

– Que diriez-vous de pique-niquer, là, sous ce bel arbre ?

Élisabeth regarda Angélique d'un air déçu. Elle aurait préféré retourner au salon de billard où Clotilde avait vu l'automate. Elles y étaient passées si rapidement, tout à l'heure, qu'elles n'avaient pas eu le temps d'y apercevoir la flûtiste.

Après un repas bien agréable, les deux amies trouvèrent enfin le moyen de s'éclipser. La princesse glissa à sa sœur :

– Restez avec Marie-Antoinette, distrayez-la pendant que nous cherchons notre automate.

Clotilde était si honnête qu'elle faillit refuser. Mais, remarquant les yeux suppliants d'Élisabeth, elle acquiesça et répondit à voix basse :

– Faites vite.

Le temps de se lever et les deux filles annonçaient :

– Nous allons nous promener.

Chapitre 6

À peine hors de vue, elles filèrent jusqu'au château.

– Hé, Madame ! Mademoiselle ! les interpella Théo. Puis-je vous accompagner ?

– Bien sûr ! Mais... où est M. de Fontaine ?

Théo se mit à rire !

– J'ai fait semblant de partir à la ménagerie, une espèce de ferme qui se trouve après le jardin de bosquets taillés. Il m'a suivi et je l'ai semé ! Nous voilà tranquilles pour un moment.

Ils entrèrent dans le vestibule. Un grand escalier permettait de monter aux appartements.

– Le billard est par là ! annonça Élisabeth en montrant une salle sur sa gauche, au rez-de-chaussée. Tout à l'heure, j'ai remarqué des bibelots sur la cheminée. La flûtiste doit être parmi eux...

– Elle n'y est pas ! constata Théo quelques instants plus tard. À part le billard, il n'y a qu'une commode... vide ! ajouta-t-il après en avoir ouvert les tiroirs.

Puis, il se retourna brusquement.

– J'ai cru entendre un bruit...

Les deux filles tendirent l'oreille et Élisabeth haussa les épaules :

– Sans doute un domestique. Cherchons dans les pièces à côté, proposa-t-elle ensuite.

Elles ne recelaient que de grands buffets emplis de porcelaine et d'argenterie.

– Poursuivons, s'entêta Élisabeth. Qu'est-ce que... fit-elle tout à coup.

Ses yeux fixèrent la porte.

– Rien, dit-elle en riant nerveusement.

Ils entrèrent dans une vaste salle voûtée. Il s'agissait d'une sorte de cuisine, où l'on avait installé une haute cheminée, une immense table de chêne et un fourneau de fonte. Aux murs pendaient des casseroles et des poêles de cuivre rouge. Par chance, personne n'y travaillait.

– Nous faisons fausse route, déclara Angélique. Ce n'est pas ici que nous trouverons notre...

Elle poussa soudain un cri !

– La porte, là ! Elle a bougé !

Théo se précipita. Il repoussa le battant et se retrouva face à... Maurice de Fontaine !

Le page de la reine essaya de faire demi-tour, mais Théo l'empoigna par sa veste rouge :

– Ce n'est guère poli d'espionner ! s'écria-t-il en le collant contre le mur.

– Et vous, ricana Maurice, que trafiquez-vous ? Je vous ai vus fouiller partout...

– Cela ne vous regarde pas ! le coupa Élisabeth. Je n'aime pas vos façons, monsieur.

L'espion se débattit mais Théo tint bon.

– Je le dirai à mon père ! brailla Maurice. Et je raconterai à la Cour que Madame Élisabeth traîne dans de drôles d'endroits, à faire des choses louches avec des personnes peu recommandables !

– Vous dites cela pour moi ? s'indigna Angélique. Ma mère n'est peut-être que sous-gouvernante, mais nous sommes honnêtes !

– Non, intervint Théo. Il parle de moi ! Vaurien ! le bouscula-t-il. En plus d'espionner, tu comptes rapporter ?

– Ce fourbe mérite une leçon ! lança Élisabeth.

Elle tourna sur elle-même et aperçut une petite porte, dont le haut était grillagé. Il s'agissait d'une sorte de grand placard.

– Parfait !

Elle attrapa Maurice par le bras, l'y projeta et referma la porte avant qu'il ne réalise ce qui lui arrivait.

Mais, dès qu'il comprit, il se mit à crier :

– Laissez-moi sortir ! Je me vengerai !

– Môssieu me menace ? Eh bien, ajouta-t-elle, cela vous apprendra ! « La peste, future vieille fille », vous salue bien ! De même que ma sœur « la baleine pleurnicharde » !

Angélique la réprimanda aussitôt :

– Ce que tu lui as fait est méchant. Aimerais-tu que l'on t'enferme ?

– Tu es trop bonne, Angélique. Ce sot mérite une correction... pour avoir insulté ma sœur. Car, moi, je suis peut-être une peste, mais je me moque bien de finir vieille fille ! Allons, ne t'inquiète pas, nous le délivrerons dans un moment, lorsque nous aurons terminé nos recherches. Viens !

Ils ressortirent dans le grand vestibule.

– Puis-je vous aider, Madame ? demanda timidement une jeune servante.

– Non, la remercia Élisabeth.

Puis elle se reprit :

– Si ! Auriez-vous vu dans le château un automate représentant une flûtiste ? Il appartenait à mon grand-père, le roi.

– Une sorte de boîte à musique ?

Le cœur d'Élisabeth bondit ! La domestique savait sûrement où elle se trouvait.

– Oui !

– Je crains qu'elle ne soit... brisée, Madame.

Elle est tombée, voici un mois, et comme elle était bien vieille...

– Oh non !

– Mais on l'a gardée, termina la servante. Voulez-vous que je vous l'apporte ?

La princesse en sauta de joie !

Quelques minutes plus tard, ils étalaient ce qui restait de l'automate sur le tissu vert du billard.

– Pour être cassé, soupira Théo, il est cassé...

Les bras étaient séparés du corps, ainsi que l'instrument et la tête. Des rouages, des ressorts et des vis dépassaient du tronc.

Hélas, après avoir cherché, ils ne découvrirent pas le moindre indice ! Ni sur les vêtements, ni dans le mécanisme...

– La flûte ! Peut-être y a-t-il un message inscrit dessus.

Mais non...

Tous trois se regardèrent, l'air morose.

– Emportons les morceaux, suggéra Élisabeth. Nous les observerons avec une loupe.

– Vous avez raison, répondit Théo. Le dernier message était inscrit si petit que vous avez eu du mal à le lire.

Il sortit un grand mouchoir de sa poche dans lequel il enveloppa la flûtiste, tandis qu'Angélique proposait :

– Je la donnerai à réparer à l'horloger de Versailles, mon voisin. Un bel automate comme celui-ci mérite une nouvelle vie.

Quelqu'un toussota pour attirer leur attention.

– Madame… fit la servante depuis l'encadrement de la porte.

– Oui ?

Elle se mordit les lèvres et dansa d'un pied sur l'autre avant de murmurer :

– Il y a… comme qui dirait… quelqu'un d'enfermé dans le placard… Il crie beaucoup et dit que c'est vous qui l'avez mis là…

Élisabeth se mit à rire !

– Effectivement. Soyez aimable de le relâcher… dans cinq minutes. Cela lui apprendra à nous espionner !

Elle se tourna vers ses amis :

– J'espère qu'il aura compris la leçon !

Chapitre 7

Le retour se passa sans encombre. Si Maurice lançait des regards mauvais, la bouche tordue de colère sous son gros nez violet, Marie-Antoinette était enchantée de son nouveau château.

De retour à Marly, Théo tendit son mouchoir fermé à Élisabeth :

– Je dois retourner aux écuries. M. de Fontaine est mauvais perdant, il risque de parler.

– Je doute qu'il le fasse. Se faire enfermer par une fille, ce n'est pas glorieux !

Mme de Mackau les attendait au salon. Elles lui racontèrent cette belle journée, en évitant le passage du placard, naturellement.

– Trianon est magnifique, s'enthousiasma Élisabeth. On s'y retrouve en pleine nature, à peine à dix minutes à pied de Versailles.

– La reine est si simple ! poursuivit Angélique. Elle a fait étendre une couverture sur l'herbe et nous y avons mangé avec elle. Il n'y avait que deux servantes pour lui passer les plats !

– Et surtout, nous avons découvert la flûtiste...

La gouvernante hocha la tête en souriant :

– Voilà votre chasse au trésor qui reprend !

Mais la bonne humeur d'Élisabeth retomba d'un coup :

– Nous n'avons pas trouvé d'indices.

Colin, qui gardait la porte, mais qui suivait la conversation sans en perdre un mot, en oublia les consignes :

– Ah ben ça, c'est pas de chance !

Mme de Mackau, au lieu de le disputer, se mit à rire :

– Tu as raison, mon garçon, ce n'est pas de chance ! Mais, Madame, voyons un peu cette flûtiste.

Élisabeth ouvrit le mouchoir sur la table et tous se penchèrent sur les morceaux.

– Ah ça, reprit Colin dans le dos d'Élisabeth, elle a mauvaise mine !

N'y tenant plus, il s'était approché pour regarder par-dessus son épaule.

– Quel dommage ! lança Mme de Mackau. Un si bel objet en si piteux état. Colin, ordonna-t-elle, va chercher la loupe de Madame !

Le garçon s'exécuta. Il connaissait bien le bureau de la princesse, il y travaillait avec elle lorsqu'elle lui apprenait à lire et à écrire.

Il tendit fièrement l'instrument à la mère d'Angélique qui observa tête, bras, corps, flûte et vêtements.

– Eh bien, s'écria tout à coup Mme de Marsan qui arrivait, que se passe-t-il ici ? Il n'y a personne pour m'ouvrir la porte ? Dieu, quel laisser-aller !

Un même sursaut paniqué souleva les enquêteurs ! Colin regagna son poste en courant, tandis qu'Angélique faisait sa révérence.

– Qu'est-ce donc ? demanda ensuite la gouvernante en montrant la table.

– Veuillez excusez cet accueil si peu courtois, répondit Mme de Mackau en posant la loupe. J'étais en train de préparer pour demain une leçon de... mécanique.

– De mécanique ? s'étonna Mme de Marsan.

Puis, la surprise passée, elle approuva :

– Pourquoi pas... Sa Majesté le roi a étudié autrefois l'horlogerie et la serrurerie. Et j'entends que l'on donne à Madame Élisabeth une éducation digne de celle d'un garçon.

– En quoi puis-je vous aider ? reprit Mme de Mackau.

– Vous allez devoir retarder votre leçon de mécanique. Demain, le médecin procédera à l'inoculation...

– On va m'inoculer ? la coupa Élisabeth d'un ton grave.

– Certes pas ! Vous ne ferez qu'y assister, afin de soutenir vos frères. Madame de Mackau, ajouta-t-elle, puis-je vous entretenir ?

Les deux gouvernantes s'isolèrent dans l'antichambre. Comme elles avaient laissé la porte entrouverte, Élisabeth y colla une oreille.

– Je refuse que les princesses courent ce risque, entendit-elle.

– Pourtant, répondit Mme de Mackau, cette opération les protégerait de la petite vérole…

– À moins qu'elles n'en meurent, ou qu'elles n'en sortent défigurées ! Madame Clotilde se marie dans un an. Elle n'a déjà guère de beauté… Si son visage est couvert de cicatrices, le roi de Piémont-Sardaigne nous la refusera pour son fils. Ce serait une offense terrible pour la France ! Quant à Madame Élisabeth, elle possède un caractère de cochon... Nous ne pourrons compter que sur son joli minois, si nous voulons la caser... Ne prenons pas de risque.

Élisabeth étouffa un « oh » indigné derrière sa main.

Mais Mme de Marsan s'apprêtait à partir et la jeune fille se hâta de s'éloigner de la porte.

Chapitre 8

Clotilde et Élisabeth s'avancèrent à pas lents, poussées par Mme de Marsan. Dans le salon rouge, leurs trois frères accompagnés de leurs épouses étaient déjà réunis.

– Ah ! fit Marie-Antoinette en les accueillant. Venez avec Marie-Joséphine et moi près de la fenêtre.

Marie-Joséphine était la femme de Louis-Stanislas. Comme elle avait déjà été atteinte par la petite vérole, elle ne pouvait plus l'attraper. En revanche, Marie-Thérèse, la jeune épouse de Charles-Philippe, n'était pas immunisée. Elle avait accepté de tenter l'expérience. Timide et effacée, elle jetait des regards épouvantés autour d'elle.

Le médecin et le chirurgien entrèrent à leur tour, ce dernier portant sous son bras un mystérieux coffret en bois.

– Mesdames, Messieurs, déclara Louis XVI en s'adressant solennellement à sa famille. Soyons courageux. Je veux que tout notre peuple sache que nous avons affronté cette épreuve ensemble, autant pour prouver notre confiance dans la médecine que pour montrer l'exemple... Allons-y, docteur Richard !

Le roi ôta son justaucorps[12] et remonta ses manches...

– Mon Dieu, murmura Clotilde.

– Monsieur Jauberthon, ordonna le médecin à son chirurgien, commençons !

Élisabeth s'accrocha à la main de Clotilde. Elle regarda avec angoisse l'homme ouvrir

---

12. Longue veste que portaient les hommes.

le coffret. Dedans se trouvaient une dizaine d'aiguilles enfilées de fils, en tout point semblables à celles dont on se sert pour la couture.

Le médecin, voyant les spectateurs silencieux et inquiets, expliqua avec entrain :

– Toutes les précautions ont été prises. Le pus a été prélevé il y a une heure, sur une jeune paysanne âgée de 3 ans. Elle est atteinte d'une forme peu violente de la maladie, ainsi Sa Majesté, les princes et la princesse ne devraient pas craindre pour leur vie.

Élisabeth, dans son coin, imagina la pauvre petite fille à qui l'on avait percé les boutons. Comme elle avait dû avoir peur !

– Ensuite, reprit le médecin, nous y avons trempé les fils de ces aiguilles. M. Jauberthon va en passer un sous la peau de Sa Majesté...

Élisabeth esquissa une moue de dégoût. Comment une telle chose pouvait-elle sauver un homme de la maladie ?

Marie-Antoinette, comme si elle avait entendu ses pensées, vint la prendre par l'épaule :

– Ne croyez pas tout ce que l'on vous raconte. Cette méthode marche presque à chaque fois. Vos frères et Marie-Thérèse n'auront plus jamais à craindre la petite vérole...

Le chirurgien attrapa une aiguille qu'il tint délicatement entre le pouce et l'index. Le jeune roi, très calme, lui tendit son bras. Il prit une profonde inspiration, et laissa le chirurgien lui en enfoncer la pointe sous la peau. Elle ressortit un demi-pouce[13] plus loin... Puis M. Jauberthon tira doucement sur le fil avant d'essuyer le sang qui coulait.

Élisabeth, choquée par la scène, serra les yeux à en avoir mal et détourna la tête. À son côté, Clotilde priait...

– Pour être assurés que vous avez reçu la bonne dose de virus, déclara le médecin au roi, nous allons recommencer.

---

13. Ancienne mesure. 1 pouce faisait environ 2,7 cm.

Le chirurgien attrapa une autre aiguille dans son coffret qu'il enfonça sans sourciller dans l'autre bras de Louis XVI.

– L'opération est terminée, annonça le docteur Richard quelques instants plus tard.

Élisabeth rouvrit ses paupières à grand-peine pour observer son frère. Louis-Auguste était si pâle !

Elle n'aimait pas les médecins et détestait leurs traitements ! « D'ailleurs, songea-t-elle, ils ne devaient pas avoir grande confiance en eux, puisqu'ils se contentaient de donner des ordres et de laisser agir les chirurgiens... »

Mais M. Jauberthon s'occupait déjà du sérieux Louis-Stanislas qui ne dit pas un mot, puis de Charles-Philippe. Ce dernier se mit à rire, un peu par fanfaronnade et beaucoup pour cacher sa peur. Cependant, lui non plus ne broncha pas lorsqu'on le piqua.

Seule Marie-Thérèse, lorsqu'elle vit arriver vers elle le chirurgien, recula d'un pas.

– Courage ! la rassura Louis XVI, son beau-frère. Cela fait juste un peu mal...

La pauvre tendit son bras en tremblant. Marie-Antoinette alla aussitôt la soutenir.

– Courage, lui répéta-t-elle. C'est pour votre bien. Asseyez-vous.

Pour Élisabeth, ce fut trop ! Elle avait besoin d'air ! Sans prévenir, elle quitta la pièce, laissant derrière elle une Mme de Marsan furieuse. Une fois au-dehors, elle se mit à courir, bousculant au passage gardes et courtisans qui attendaient derrière la porte.

Chapitre 9

Ni Mme de Mackau, ni Angélique ne se trouvaient dans ses appartements. Seul Colin était là, qui l'apostropha familièrement :

– Hé, Madame !

Elle ne l'écouta pas et gagna sa chambre pour se jeter sur son lit.

– Madame, insista-t-il depuis la porte, faut que je vous parle !

– Laisse-moi !

Mais Colin s'approcha, sourcils froncés.

– Ça s'est mal passé, la... le... l'inocu-je-sais-plus-quoi ?

Élisabeth soupira. Puis elle lui raconta la scène, les aiguilles, le pus de la petite fille malade, le sang...

– J'ai manqué de courage, conclut-elle en baissant le nez. Ma famille comptait sur moi pour la soutenir et je me suis enfuie, comme une lâche !

– Vous n'êtes pas lâche ! Souvenez-vous, vous m'avez sauvé des griffes de la police[14] alors qu'on voulait me jeter en prison, pour un vol que je n'avais pas commis. Et vous m'avez donné un travail ! Sans oublier que, grâce à vous, je saurai bientôt lire et écrire couramment ! Vous êtes la personne la plus courageuse du monde !

Élisabeth finit par sourire.

– Madame, poursuivit-il, j'ai trouvé quelque chose. La flûtiste... Venez voir !

Elle se leva d'un bond et suivit le valet jusqu'au salon. Les pièces de l'automate étaient éparpil-

---

14. Voir le tome 2, *Le Cadeau de la reine*.

lées sur sa table de travail. Colin se saisit de la loupe et de la flûte. Il lui en montra le bout, grossi vingt fois au travers du verre bombé :

– Il y a un papier à l'intérieur. Regardez, on le voit à peine.

– Tu as raison ! s'écria-t-elle. Mais... comment le sortir sans l'abîmer ?

– Il faudrait une de ces pinces pour arracher les poils...

Élisabeth fit la grimace :

– Comment connais-tu ce genre d'outil ?

– Une fois, avoua-t-il, Mme de Mackau m'a envoyé porter un message à Mme de Marsan. Elle était encore à sa toilette et j'ai vu sa femme de chambre lui enlever des poils au menton.

– Oh !

La princesse éclata de rire, imaginant très bien la scène ! Puis elle se reprit :

– Nous ne pouvons la lui demander. Mais je crois qu'il y en a une dans ma coiffeuse...

– Vous n'avez pourtant pas de poils ! s'étonna Colin en louchant sur son visage.

Elle se mit à rire de plus belle, courut à sa table de toilette et expliqua en fouillant dans les tiroirs.

– Je possède tout ce dont on peut avoir besoin, comme par exemple un gratte-langue, un polissoir pour les ongles ou une brosse à dents ! La voilà, dit-elle en montrant la pince.

De retour au salon, elle demanda :

– Tiens-moi la loupe.

Puis, en tirant la langue, elle s'appliqua à saisir le papier avec délicatesse. Elle eut du mal, car sa main tremblait un peu. Au premier essai, elle en arracha un petit morceau, mais au second elle tira de la flûte une chose épaisse comme une brindille...

– Il est roulé. Jamais je n'ai vu papier aussi fin ! J'espère que j'arriverai à l'ouvrir. J'ai une idée ! Va me chercher une plume d'oie neuve !

Chapitre 9

La porte s'ouvrit. Par chance, il s'agissait de Mme de Mackau et d'Angélique. Élisabeth n'était guère pressée d'expliquer à Mme de Marsan pourquoi elle avait quitté précipitamment le salon rouge !

Comme Mme de Mackau voulait savoir comment s'était passée l'inoculation, Élisabeth raconta tout, sans rien oublier. La gouvernante la serra contre elle.

– Ma pauvre enfant ! Je savais bien que ce n'était pas un spectacle pour vous ! Je crois que Mme de Marsan ne vous a obligée à y assister que pour mieux vous dissuader de vous faire inoculer.

– J'ai si honte de m'être enfuie. Mais je jure que, plus jamais, je n'abandonnerai ma famille !

– Je trouve que, au contraire, tu as du courage ! renchérit Angélique. Hé ! Qu'avez-vous trouvé ? s'étonna-t-elle ensuite.

– Colin a découvert notre indice. J'allais le dérouler.

En s'aidant de la pointe de la plume d'oie et de l'extrémité de la pince à épiler, elle réussit à l'ouvrir sans l'abîmer.

Angélique attrapa la loupe pour l'observer :

– Encore un message codé !

Et elle partit aussitôt chercher de quoi le décrypter, tandis que Colin lui approchait une chaise.

Mme de Mackau toussota pour attirer leur attention, mais

personne ne prit garde à elle tant ils étaient absorbés par leurs recherches !

– J'avais prévu une leçon de calcul, suivie d'un peu d'histoire, tenta-t-elle sans plus de succès.

Puis, voyant leur joie et leur excitation, elle murmura :

– Bah ! Au moins ils travaillent à cette énigme de bon cœur ! Allons voir Mme de Marsan chez Madame Clotilde...

Alors qu'elle allait sortir, Colin la bouscula :

– Pardon ! Faut que j'aille vite chercher M. de Villebois ! Je suis sûr qu'il aimerait savoir ce qu'il y a sur le message !

Loin de s'en offusquer, elle se mit à rire :

– Brave petit !

Et elle referma la porte derrière elle.

Chapitre 10

Le lendemain matin, alors que ses domestiques terminaient de l'habiller d'une belle robe fleurie et d'une jolie coiffe de dentelle, Élisabeth songea à la curieuse journée de la veille.

– J'espère qu'ils vont bien ! pria-t-elle en repensant à ses trois frères et à sa belle-sœur.

Au repas du soir, Mme de Marsan lui avait appris que Louis-Auguste avait poursuivi son travail, comme si de rien n'était. Cependant, elle n'avait pas manqué d'ajouter que cette bonne santé ne durerait pas...

– Quelle peste !

Elle soupira et réfléchit ensuite au message trouvé dans l'automate. Contrairement aux autres indices, celui-ci ne voulait rien dire. Il s'agissait d'une espèce de long poème, sans queue ni tête :

Sur une branche
un pigeon volait,
il vint se poser
vite sur ma manche,
roucoula, picora
et lissa de son bec
la belle plume du bas.
Avec joie il chanta :
ne me chasse pas,
garde-moi au sec,
et heureux tu seras.

Ils eurent beau tenter de décrypter le poème à trois reprises, ils ne percèrent pas le code !

Autant dire qu'ils s'étaient quittés le soir bien moroses, et persuadés que, cette fois-ci, leurs découvertes ne les mèneraient nulle part.

Dès que Mme de Mackau et sa fille arrivèrent ce matin-là, Élisabeth demanda des nouvelles de ses frères. La gouvernante soupira avant d'avouer :

– Le roi a été pris de fièvre cette nuit. Il est couché. Ne vous alarmez pas, poursuivit-elle en voyant ses yeux affolés, cela arrive souvent.

Puis Mme de Mackau lui montra le poème :

– Avez-vous une nouvelle piste ?

– Aucune. Nous avons fait tout ce travail pour rien !

– Le texte doit forcément vouloir dire quelque chose, rétorqua Angélique, sinon pourquoi le grand-père de Théo l'aurait-il codé pour le cacher dans une flûte minuscule ?

– En tout cas, ronchonna Élisabeth, il n'était guère doué pour la poésie !

La leçon de géographie commença peu après. Mme de Mackau leur fit découvrir les grandes capitales d'Europe. Le tout était agrémenté de gravures représentant les monuments de chaque pays, et leurs habitants en costumes nationaux.

Une fois encore, Colin avait quitté son poste pour se mêler à elles. Bouche bée, il regardait les images et ne parvenait pas à croire que les Écossais portaient des jupes courtes, baptisées *kilts*, ou qu'en Russie on était vêtu de larges blouses blanches brodées et de grands chapeaux en fourrure...

Il finit par s'asseoir à côté des filles et attrapa le poème pour l'observer.

– Ne doit-on pas mettre une majuscule au début d'une ligne ? demanda-t-il alors qu'elles faisaient une pause.

– Oui, répondit Élisabeth distraitement.

– Alors, il faudrait corriger...

La leçon reprit tandis que le garçon se saisissait d'un crayon avec lequel il ajouta les majuscules manquantes. Il semblait très fier de lui, d'autant qu'il savait à présent dessiner les 26 lettres de l'alphabet.

– Qu'as-tu fait ? le gronda Élisabeth en lui arrachant le document. Tu as raturé notre travail !

Mais elle s'arrêta net. Elle ouvrit la bouche, sans qu'aucun son n'en sorte. Elle tendit la feuille à Angélique et à Mme de Mackau et bredouilla :

– Avez-vous vu ?

La mère et la fille parurent tout aussi surprises qu'elle. Seul Colin, inquiet, les regardait tour à tour en se demandant quelle punition allait lui tomber dessus. Mais, contrairement à ses craintes, Élisabeth le félicita :

– Tu es un génie...

Loin d'en être flatté, Colin rentra la tête dans les épaules :

– C'est quoi, un génie ? C'est une insulte ? Vous vous moquez de moi !

– Non, c'est un compliment ! Regarde ce que tu as écrit avec des majuscules.

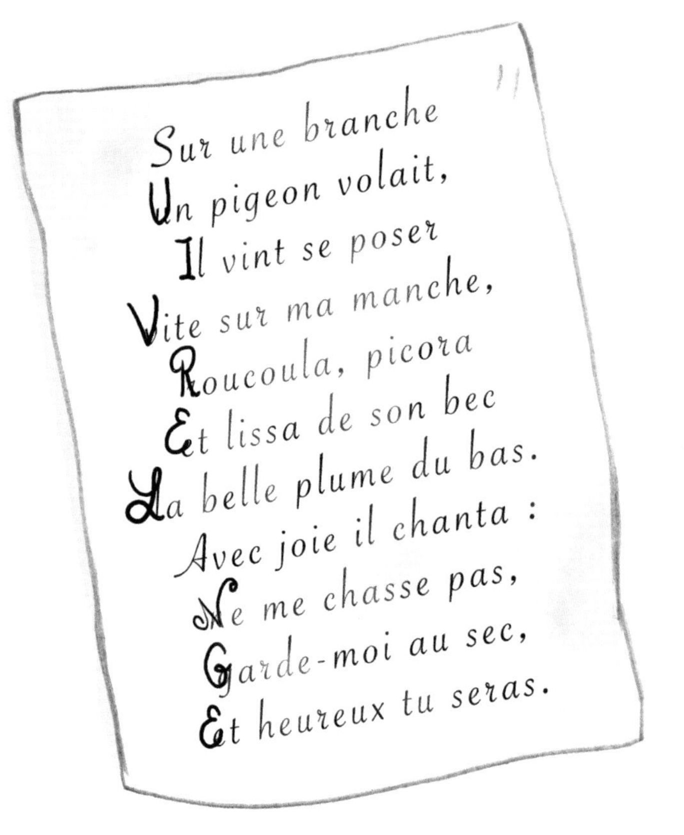

Et elle lui mit le texte sous le nez.

– S et U font SU. Su-i-v-re-l'an-ge... lut-il avec application en pointant chaque majuscule du doigt. Suivre l'ange ?

– Mais, s'étonna Angélique, l'orchestre des automates se compose de trois musiciens. Il ne comporte pas d'ange !

– Et si l'ange se trouvait dans la maison de Théo ? supposa Élisabeth. C'est forcément là que son grand-père a dû cacher le tableau avant de mourir.

– Maman, demanda Angélique d'un ton suppliant, pouvons-nous interrompre notre leçon pour aller voir M. de Villebois ?

Mais Mme de Mackau serra les lèvres, mécontente.

– Il ne faudrait pas que cela devienne une habitude ! Votre éducation doit passer avant tout, et surtout avant vos loisirs !

Puis elle soupira :

– Allez-y... Je vous donne un quart d'heure ! Et, cria-t-elle alors que les filles filaient à toute vitesse, ne courez pas dans les couloirs ! Cela n'est ni gracieux, ni distingué !

Théo, lui aussi, était en train de travailler. Hormis l'équitation et le maniement des armes, les pages apprenaient le français, les mathématiques, le latin et les langues vivantes, l'histoire et la géographie, ainsi que le dessin et la danse.

Il était presque midi, les cours allaient prendre fin. Lorsque la cloche sonna, Élisabeth et Angélique virent les pages sortirent du grand dortoir qui leur servait aussi de classe. Les plus jeunes s'éparpillèrent en criant, tandis que les plus âgés marchaient par groupes de deux ou trois et discutaient entre eux.

– Monsieur de Villebois ! appela Angélique en reconnaissant leur ami.

Théo les rejoignit aussitôt. Dans son dos, ses camarades avaient remarqué la présence

des jeunes filles et en discutaient à voix basse. Cela le fit rougir. Il les pressa :

– Faites vite, que va-t-on penser de moi ? Que je vous conte fleurette[15] ?

Les deux filles poussèrent un même cri d'effroi !

– Fleurette ? Quelle horreur !

– Madame ! appela une voix qu'Élisabeth reconnut aussitôt.

Elle se retourna et trouva à deux pas d'elle Maurice de Fontaine.

– Si vous cherchez un amoureux, ricana-t-il, choisissez-le au moins de plus noble naissance que M. de Villebois !

---

15. Séduire.

La bouche de Théo se tordit et il serra les poings, prêt à en découdre. Mais la jeune fille prit les devants :

– M. de Villebois est d'aussi bonne noblesse que vous, monsieur. Seriez-vous jaloux, parce qu'il est plus chevaleresque[16] et aussi plus fort que vous ? Et il ne frappe pas les petits, lui !

Aussitôt les garçons autour d'eux, en particulier les plus jeunes, se mirent à rire et à applaudir !

– Jaloux, moi ! s'écria Maurice avec colère.

– Au fait, comment va votre nez ? demanda-t-elle d'un air faussement innocent. Je le trouve bien enflé et violet, ce matin...

Maurice vira à l'écarlate ! Furieux, il fit demi-tour et partit sans demander son reste !

Élisabeth était très contente de cette petite victoire. Mais elle avait des choses à apprendre à Théo. Elle l'entraîna un peu plus loin :

---

16. Digne d'un chevalier, courageux.

– Nous avons résolu l'énigme du poème.

Et elles lui racontèrent comment Colin avait percé le mystère.

– Suivre un ange? s'étonna Théo. Dans notre vieux château, il y en a plusieurs, des anges!

– Il faudrait vous y rendre au plus vite.

Mais Théo hocha la tête avant de marmonner d'un air déçu:

– Je ne peux quitter l'école des pages! Je n'ai le droit de retourner dans ma famille que durant les vacances.

– Oui, mais, insista Élisabeth, vos parents vivent tout près d'ici...

– Cela n'empêche, Madame. Je dois respecter le règlement.

– Donc... Vous ne pouvez manquer vos cours que si on vous ordonne de servir la famille royale?

– Exactement.

Élisabeth réfléchit à peine :

– Eh bien, annonça-t-elle en se grandissant pour tenter d'avoir l'air plus digne, moi, Madame Élisabeth de France, je décide de me rendre chez vos parents dès demain ! Et j'ai absolument besoin d'une escorte !

Angélique et Théo eurent un hoquet de surprise !

– Tu es folle, lui déclara son amie en secouant son bras. Mme de Marsan et ma mère ne l'autoriseront pas.

– Bien sûr que si, insista Élisabeth. Il y a quelques jours, nous devions herboriser. Pourquoi ne pas aller étudier les plantes près de chez M. et Mme de Villebois ? Ils ne manqueront pas de m'offrir un verre d'eau fraîche, si j'ai soif.

Elle se tourna vers Théo :

– Je ne veux pas avoir l'air de m'imposer chez vos parents, mais les vacances sont dans plus d'un mois et... je meurs de curiosité !

Le page ne savait que répondre. Angélique, elle, attrapa la main d'Élisabeth pour la tirer vers le château :

– Ma mère a dit « un quart d'heure ». Il nous faut regagner tes appartements sans quoi elle va être de très mauvaise humeur. Si tu veux lui demander d'organiser cette escapade, nous avons intérêt à rentrer...

Mme de Mackau soupira, tempêta, maugréa, mais elle accepta !

– Colin ! ordonna-t-elle tout en rédigeant un mot à la plume. Va voir M. de Pontfavier, l'instructeur des pages. Donne-lui ceci de ma part. Demain, nous aurons besoin de M. de Villebois toute la journée pour escorter Madame.

Élisabeth en était si heureuse qu'elle se jeta dans les bras de la gouvernante. Et, malgré l'étiquette qui ne l'autorisait qu'à embrasser les princes et les rois, elle déposa sur sa joue une énorme bise !

Chapitre 11

Le lendemain.

L'état de Louis XVI se dégradait... Sa fièvre augmentait. Il souffrait de violents maux de tête et des boutons étaient apparus sur son visage.

– Je vous l'avais bien dit, jeta Mme de Marsan. Demain, ce sera pire...

– Voulez-vous bien vous taire! la coupa Élisabeth. Mon pauvre frère!

Les larmes lui montèrent aux yeux. Mme de Mackau lança un regard réprobateur à sa supérieure et rassura son élève aussitôt:

– Sa Majesté ira mieux dans un jour ou deux. Nous prions tous pour qu'elle se rétablisse !

Puis elle enchaîna, afin de changer de conversation :

– Avez-vous pris toutes vos affaires ? Couteaux, ciseaux, cartons à dessin ? Bon. Alors, partons herboriser !

La famille de Théo n'habitait qu'à une lieue de Marly, non loin d'un bourg nommé Bailly. La voiture, suivie par le jeune page à cheval, s'arrêta en fin de matinée dans la cour d'un château un peu délabré. Le toit d'ardoises était couvert de mousse et la façade montrait quelques lézardes, ce qui ne l'empêchait pas d'avoir fière allure.

Un vieux serviteur les accueillit avec émotion :

– Madame, la sœur du roi ! ne cessait-il de répéter en faisant des courbettes. Quel honneur ! Et mon petit Théophile ! Je cours chercher vos parents !

M. et Mme de Villebois étaient charmants. S'ils semblèrent étonnés par cette visite, ils n'en montrèrent rien et leur firent les honneurs de leur demeure.

– Maman, Papa, déclara Théo. Nous avons peut-être retrouvé *La Dame à la rose !*

– Je crains que ce ne soit impossible, répondit le comte de Villebois. Ce tableau a disparu depuis si longtemps...

Puis, se tournant vers la gouvernante et les jeunes filles, il raconta :

– Mon père est mort alors que j'étais encore au berceau. Il avait dissimulé cette toile on ne sait où. Nous avons retourné tout le château, de la cave au grenier, sans rien trouver ! Je pense que mon oncle a découvert sa cachette et qu'il s'en est emparé, comme du reste de notre fortune...

Il soupira et expliqua :

– Il jouait aux cartes et a perdu tous nos biens en un an. Et il est mort depuis longtemps !

Mais Élisabeth sortit d'un panier le violoniste et les morceaux de la flûtiste. M. de Villebois se mit à trembler en les prenant entre ses mains :

– J'en avais entendu parler par ma mère. Je suis si ému de les contempler. Autrefois, ma famille en possédait trois, ces deux-là ainsi qu'une joueuse de clavecin.

– Elle se trouve à Versailles. Mon grand-père, le roi Louis XV, a racheté les trois automates à votre oncle. Nous avons découvert, par hasard, un indice dans la joueuse de clavecin...

Puis Élisabeth lui raconta leur enquête.

– Un ange ? fit-il ensuite en se grattant la tête. Il y en a un dans la bibliothèque. Un autre est sculpté sur la cheminée du salon.

– Et, ajouta son épouse, n'oublions pas celui du tableau de la chambre bleue.

Ils allaient se lancer à la chasse au trésor, lorsque Mme de Villebois les arrêta :

– Mangeons d'abord. Puis-je avoir l'honneur de vous inviter ? Je suis si heureuse de revoir mon fils ! J'aimerais tant qu'il nous parle de sa vie à la Cour...

Ses yeux brillaient et personne n'eut le courage de la décevoir en partant fouiller le château.

Mme de Mackau, qui n'était pas venue les mains vides, fit décharger par Colin une petite malle d'osier emplie de victuailles :

– J'avais prévu un repas champêtre, leur dit-elle. Nous pourrions le partager. Ces mets viennent tout droit des cuisines de Sa Majesté.

Le dîner[17] fut bien agréable ! Élisabeth, habituée aux sinistres repas sous le regard de Mme de Marsan, se surprit même à rire et à discuter !

Ils se levèrent de table de bonne humeur et partirent à la chasse au trésor.

La bibliothèque était une jolie pièce emplie de rayonnages de bois ciré supportant de nombreux livres. À l'entrée se trouvait une statue de plâtre représentant un ange. Un doigt sur les lèvres, il demandait aux visiteurs de respecter le silence des lieux.

– Soulevons-le, proposa Élisabeth, peut-être est-il creux ?

Aussitôt dit, aussitôt fait ! Théo et son père le renversèrent délicatement. Tous éprouvèrent un frisson d'excitation lorsqu'ils se rendirent compte que, effectivement, la statue était creuse !

Toutefois, elle était vide...

---

17. Autrefois, le dîner se prenait à midi. Il correspondait à notre déjeuner. Le soir, on soupait.

– Dommage, jeta le comte de Villebois. C'était une bonne idée. Jamais je n'aurais pensé à regarder dans un tel endroit ! Passons à l'ange de la chambre bleue.

La chambre à coucher devait être inoccupée depuis bien longtemps, elle sentait le renfermé. La pièce était meublée d'un grand lit à baldaquin à montants de bois sculpté, fermé de rideaux de velours bleu.

– Voici l'ange, dit Théo en montrant un tableau.

– En fait, rectifia Mme de Mackau, la toile ne représente pas un ange. N'est-ce pas saint Michel, qui tua un dragon avec sa lance ?

– Regardons tout de même son cadre, insista Élisabeth.

On le décrocha du mur et on l'observa sur toutes les coutures. L'arrière du tableau ne comportait ni mot caché, ni inscription.

– Il nous reste la cheminée, soupira Théo.

Chapitre 11

Le salon était une pièce à la décoration démodée, mais très confortable. Le sol, dallé de pierres, était couvert de vieux tapis. Quelques fauteuils et une table, datant du règne de Louis XIV, se trouvaient installés face à une grande cheminée. Elle était décorée d'un ange sculpté qui sonnait de la trompette.

– Peut-être que la cachette se trouve à l'intérieur ? déclara Théo.

Comme le feu n'était pas allumé, il se glissa dans le foyer et tâta les briques, debout, mains levées.

– Il n'y a pas la moindre niche, annonça-t-il d'un air morose en ressortant, les paumes noires de suie.

La nouvelle acheva de briser le moral d'Élisabeth. Mais...

– Le message, lança-t-elle, dit de « suivre l'ange ». Il regarde dans cette direction !

Tous les yeux se tournèrent vers le mur, orné d'une grande tenture représentant une scène de chasse à courre. Théo comprit. Il en souleva un coin et se glissa dessous, entre le tissu et le mur. Dans la pièce, on retint son souffle... Il se mit à tousser, à cause de la poussière, et en ressortit le visage rouge, et tout aussi déçu qu'auparavant.

– Inutile de poursuivre, conclut M. de Villebois. Nous aurons rêvé un peu...

Chapitre 12

Comme Mme de Mackau s'apprêtait à prendre congé, Théo s'excusa :

– Je suis bien sale. Je dois me laver les mains. Je descends dans la cour.

– Nous aussi, déclarèrent les filles.

Elles le suivirent et le regardèrent se nettoyer sous le filet d'eau d'une fontaine. Colin, qui était resté près du carrosse avec le cocher, s'approcha :

– Vous l'avez trouvé ? demanda-t-il.

– Non, soupira Théo. C'est fichu. Nous avons vu tous les anges du château.

– Tous ? répéta Élisabeth. En êtes-vous sûr ? Quel est ce bâtiment ?

Elle montra du doigt une petite bâtisse aux fenêtres pourvues de vitraux et surmontée d'un clocher.

– Notre chapelle...

– Ne trouve-t-on pas des anges dans les chapelles ?

Théo ouvrit la bouche, mais aucun son n'en sortit tant il était surpris.

– Bien sûr ! répondit Angélique.

– Comment n'y ai-je pas pensé ! s'écria Théo.

Ils y filèrent tous les quatre. À l'entrée, ils prirent le temps de faire leur signe de croix, puis ils s'éparpillèrent. Hélas, une minute plus tard, Élisabeth rouspétait :

– C'est la première fois que je vois une chapelle sans ange ! La Sainte-Vierge, saint Joseph et Jésus s'y trouvent, mais point d'ange ! Pas même un petit sur une colonne ou sur le bénitier !

Le pauvre Théo semblait très abattu ! Mais soudain il se redressa, tel un ressort !

– Il y en a un dans la crypte[18] ! Attendez-moi, je vais aux cuisines chercher une lampe ! s'exclama-t-il.

Cinq minutes plus tard, il menait les deux filles et le valet à un petit escalier de pierre.

– J'ai peur... chuchota Angélique.

– Pourquoi ? demanda Théo. C'est là que reposent mes ancêtres qui étaient tous bons et braves... heu... à part mon oncle ! Mais lui est enterré ailleurs.

– Allons, la rassura Élisabeth. Moi aussi j'ai un peu peur, mais il ne peut rien nous arriver !

Ils descendirent à pas lents, les deux filles suivant Théo qui tenait la lanterne garnie d'une chandelle, et Colin fermant la marche.

En bas se trouvait une grande cave voûtée qui sentait l'humidité. Dans l'obscurité, ils discernèrent une dizaine de tombes de pierre

---

18. Pièce souterraine sous une église où on conserve des tombes ou des objets religieux précieux.

sur lesquelles étaient posés des gisants, des statues représentant les morts.

– Voici Artus, premier comte de Villebois, dit Théo en leur présentant un chevalier en armure tenant son épée sur sa poitrine. Il est mort en 1470, il y a plus de trois siècles. Et voici Raymonde, son épouse.

Il s'agissait d'une dame vêtue à la mode du Moyen Âge... Mais Angélique cria :

– C'est plein de toiles d'araignée ! Je déteste les araignées !

– Elles ne vous feront rien, rit Théo. Avançons. L'ange est au fond.

Élisabeth, malgré son air sûr d'elle, n'en menait pas large. Elle avançait à la suite de Théo en prenant garde à ne pas le quitter d'une semelle. Puis, dans la clarté de la lampe, elle le vit ! Un bel ange souriant, avec de grandes ailes, et vêtu d'une longue robe. D'un doigt, il pointait le sol.

– C'est là qu'il faut chercher !

Théo posa la lampe sur un tombeau. Puis Colin et lui, avec difficulté, couchèrent l'ange.

– Regardez ! s'écria Théo. La pierre en dessous est marquée d'une croix rouge ! Retirons-la !

– Et si nous allions plutôt prévenir vos parents ? demanda Angélique d'une petite voix.

– Ah non alors ! J'aimerais tant leur en faire la surprise... Allez ! Madame, mademoiselle, Colin, aidez-moi !

Les quatre s'accroupirent et calèrent leurs doigts autour de la dalle. Puis ils tirèrent. À la troisième tentative, elle bougea enfin. Elle se souleva un peu, assez pour qu'ils puissent y passer leurs mains et la faire glisser.

– La lampe ! s'écria Théo.

Angélique s'empressa de la poser à côté de lui, pour l'éclairer.

– Regardez ! dit-il ensuite d'une voix pleine d'émotion.

Dans un trou creusé profond se trouvait une sorte de paquet entouré de chiffons et attaché par de la ficelle.

– On l'a trouvé ! s'écria Élisabeth tandis que Théo sortait le ballot de la cachette.

– Attention ! fit Angélique qui recula d'un pas.

Théo, en se relevant, venait de heurter la lampe qui roula au sol et s'éteignit ! En un instant, ils se retrouvèrent plongés dans une obscurité totale et angoissante !

– Au secours ! hurla Angélique.

Il n'en fallut pas plus pour que tous les quatre se mettent à crier ! Ils se ruèrent vers l'escalier, heurtant au passage les tombeaux, et se prenant les cheveux dans les toiles d'araignée !

Mais quel plaisir de retrouver la lumière du jour et de respirer à pleins poumons ! À peine au-dehors, ils coururent retrouver les adultes :

– Nous l'avons !

Et Théo s'empressa de déballer le trésor.

– C'est bien une toile peinte, constata son père, sourcils froncés. Elle a été roulée, mais elle est intacte !

Il la déroula lentement, pour ne pas l'abîmer, et retint son souffle avec émotion :

– Je vous présente *La Dame à la rose,* que le grand Watteau, le peintre le plus célèbre de notre siècle, a réalisé pour ma famille autrefois...

Une très jolie femme au doux sourire, aux cheveux relevés en chignon et à la robe bleue, tenait une fleur à la main. À l'arrière-plan se trouvait le château de Villebois, au milieu de la campagne environnante.

– Vous voici de nouveau riches, souffla Élisabeth.

M. de Villebois la regarda, les larmes aux yeux. Il lui sourit :

– Jamais je ne le vendrai ! La vraie richesse, Madame, est de posséder une famille soudée, aimante et heureuse. J'étais déjà très riche avant de récupérer ce tableau, ajouta-t-il en prenant son fils par l'épaule, et je le serai toujours !

*

Le lendemain, à la Cour, on apprit que le roi allait mieux. Sa fièvre avait baissé. Il avait pu prononcer quelques mots, et il avait bu un peu de bouillon.

– Il est hors de danger, annonça Mme de Mackau, ainsi que nos princes et notre princesse !

Élisabeth en soupira de soulagement !

– Eh bien, Madame, lui demanda Mme de Marsan, avez-vous aimé herboriser dans la campagne ?

La jeune fille regarda Angélique, sa mère, Colin debout près de la porte, puis elle aperçut, par la fenêtre, Théo à cheval...

Le comte de Villebois avait bien raison de dire que l'on était riche et heureux lorsqu'on possédait une famille soudée et, ajouta-t-elle, des amis merveilleux !

– Beaucoup, répondit-elle avec un grand sourire à la gouvernante. Nous avons rencontré une dame qui nous a offert une bien jolie rose !

L'inoculation

Au XVIIIe siècle, la « petite vérole », une terrible maladie contagieuse aussi appelée « variole », était la première cause de mortalité en Europe. On estime qu'elle tuait de 50 000 à 80 000 Français chaque année.

L'inoculation permettait de s'en protéger. Les médecins prélevaient un peu de pus sur un malade qui présentait une forme bénigne (légère) de la petite vérole. Ils transmettaient ensuite la maladie à une personne saine en la piquant avec une aiguille et un fil enduit de pus. Après une courte fièvre et quelques boutons, les inoculés étaient ensuite en quelque sorte immunisés et ne pouvaient plus attraper la maladie.

Cette méthode, employée depuis des siècles en Chine, en Inde et en Turquie, ne commença à se répandre en Europe qu'aux XVIIe et XVIIIe siècles. Cependant, si elle était couramment utilisée en Autriche et en Angleterre, les médecins français refusaient de l'adopter. La plupart pensaient que l'inoculation pouvait défigurer ou tuer des personnes en bonne santé.

Lorsque le jeune roi Louis XVI décida de se faire inoculer avec une partie de sa famille, l'affaire

fit grand bruit ! Certaines personnes trouvaient, comme Mme de Marsan, qu'il était fou de risquer sa vie ! Par chance, le roi survécut à l'opération. Beaucoup admirèrent son courage et suivirent son exemple. On estime que, grâce à Louis XVI, 30 000 personnes furent sauvées en France cette année-là.

L'inoculation devint par la suite très à la mode. La couturière de la reine remit même en vogue une coiffe de dentelle appelée « bonnet à l'inoculation ». Ses rubans étaient brodés de petits pois qui imitaient les pustules, les gros boutons des malades de la variole ! Toutes les dames se l'arrachèrent ! Quant à Élisabeth, elle demande à être inoculée à l'âge de 15 ans. Ce qui lui permit d'échapper à la maladie.

Élisabeth
princesse à Versailles

Nous sommes en 1774, Élisabeth a 11 ans et c'est la petite sœur de Louis XVI. Orpheline de bonne heure et benjamine de la fratrie, Élisabeth est la « chouchoute » de la famille et elle sait en jouer. Avec sa grande amie Angélique de Mackau, elle va être amenée à résoudre bien des intrigues à la cour de France .

Élisabeth et Angélique mènent l'enquête à la cour de Versailles pour résoudre le vol d'un précieux tableau.

L'heure est grave, Colin, le jeune valet d'Élisabeth, est accusé de vol. Comment prouver son innocence ?

L'enquête continue pour Élisabeth. Parviendra-t-elle à retrouver le tableau disparu? Mais attention, Maurice rôde...

Lis très vite les nouvelles aventures d'Élisabeth !

Tome 4 à paraître en mai 2016

Conception graphique : Delphine Guéchot

Imprimé en France par Pollina S.A. en décembre 2015 - L74374
Dépôt légal : janvier 2016
Numéro d'édition : 21731
ISBN : 978-2-226-31573-1